ON DEMANDE GRAND-PÈRE GENTIL ET CONNAISSANT DES TRUCS

Georges COULONGES écrit alternativement pour les adultes et les jeunes. « Ce qu'un homme peut faire de mieux, c'est faire rire les enfants », pense-t-il. Avec ses histoires sur les grands-pères et les grands-mères — écrites en hommage à ses petits-enfants — il atteint pleinement son but.

Du même auteur, dans la même collection :

La grand-mère aux oiseaux
Grand-père est un fameux berger
Une grand-mère en chocolat (à paraître)

Georges COULONGES

On demande grand-père gentil et connaissant des trucs

Illustrations de Mérel

POCKET

Publié pour la première fois en 1975
aux Éditions La Farandole

Loi n° 49-956 du 16 juillet 1949 sur les publications destinées
à la jeunesse : janvier 1996.

ISBN 2-266-07070-3

Pour Nicolas

CHAPITRE PREMIER

Pascal a huit ans.

Dans la banlieue parisienne, il habite la cité Saint-Hubert.

C'est une cité jeune, claire et large, blanche, bleue, jaune, plate avec des immeubles de quatre étages seulement qui montrent le ciel à côté d'eux et au-dessus : sans vous obliger à lever la tête.

Entre les bâtiments, il y a de larges pelouses et des jardins, des fleurs, des arbres, du sable, des mamans, des balançoires et des toboggans.

Il y a aussi, à certaines heures, des écoliers qui vont ou qui viennent, marchant seuls ou se donnant la main, échangeant des nouvelles de Napoléon et d'Astérix.

Les mamans accompagnent les petits et souvent une maman en ramène plusieurs qu'elle traîne comme une grappe ou un train miniature.

Pascal, lui, ne rentre pas avec sa mère.

Dans la cité, il jouit d'un grand, d'un authentique privilège : il a un grand-père.

À domicile.

Aujourd'hui, seuls les petits paysans connaissent encore ce bonheur-là : avoir un grand-père permanent, capable d'expliquer le chant des oiseaux, la montée des lunes, capable avec trois bouts de bois et un couteau de fabriquer un moulin blanc tournant sur les ruisseaux d'avril.

Les petits enfants des cités, eux, n'ont que des grands-pères furtifs, entrevus au bout de longs voyages en auto, en train ou, pour le moins, en bus et en métro. Et encore ! Ce sont souvent des grands-pères d'appartement ! Ils ignorent la caille et le sous-bois, ils travaillent à heures fixes en des lieux sévères et interdits : ce sont des grands-pères qui, le mercredi, n'ont pas de genoux libres.

Pascal a un grand-père à lui. Il lui appartient. IL EN FAIT CE QU'IL VEUT. Il

mange avec lui. Il se promène avec lui et, surtout, dans l'odeur de cuir et de colle et d'encre et de papier, il le voit exercer cet art mystérieux dont les mystères chaque jour s'éclaircissent : le grand-père de Pascal est relieur.

C'est un métier que, l'âge de la retraite venu, on n'abandonne pas tout à fait.

Pascal regarde, écoute, montre ce grand-père merveilleux qui, pour comble, a une jambe qui fait du bruit : clic-clac — clic-clac — clic-clac.

Cela intrigue beaucoup les enfants de la cité Saint-Hubert :

— Dis, Pascal, je voulais te demander : ton grand-père, comment ça se fait qu'il a une jambe en métal ?

— Avant, il avait une vraie jambe. On la lui a coupée et puis on la lui a remplacée par celle-là.

Antoine réfléchit. Au bout d'un instant :

— ... et l'autre jambe ? Qu'est-ce qu'ils en ont fait ?

— Je ne sais pas, moi ! Peut-être, ils en avaient besoin ! C'était la guerre !

Antoine est le copain de Pascal. Le grand Zague, c'est le troisième larron. Sa croissance a un peu d'avance, sa situation scolaire a un peu de retard : parmi les autres, cela lui donne une allure de doux géant, docile et réservé. Avec, pour souligner encore sa haute taille et ses inoffensives rêveries, un petit Marco de six ans qu'il promène toujours avec lui et qu'il présente toujours de même façon :

— C'est Marco. C'est mon copain.

Pascal, Antoine, Marco et le grand Zague forment une bande intéressante qui a des jeux paisibles et ne crée pas de bagarre.

Aujourd'hui, on joue aux Indiens.

— Moi, je suis Œil-de-Lynx, déclare Marco. Et toi, grand-père, comment tu t'appelles ?

— Autrefois, on m'appelait Chacal Magnifique, dit le grand-père. Maintenant... je suis Vieux-Renard, je crois.

Pascal demande :

— Et moi, grand-père, et moi ? Comment je m'appelle ?

— Toi, tu es Géronimo.

— Qu'est-ce que ça veux dire Géronimo ?

Vieux-Renard doit raconter l'histoire de Géronimo et de Crazy Horse, de Red Cloud et de Sitting Bull. Il doit raconter l'histoire des Apaches et des Cheyennes, l'histoire des Indiens qui vivaient jadis en chassant le daim et la chèvre sauvage, en chassant le bison...

— Et puis, les Blancs sont arrivés. Eux aussi se sont mis à chasser le bison... Et, comme le bison se vendait très cher, ils ont commencé à l'exterminer...

Marco qui, à la télévision, a vu les émissions sur les animaux ne retient pas son indignation :

— C'est toujours pareil ! Ils tuent ! Ils tuent ! Et après, il ne reste rien !

— Il ne restait rien pour les Indiens, enchaîne le grand-père... Alors, ils ont commencé à s'organiser... Les Blancs, eux, ont appelé les soldats et c'est comme ça qu'il y a eu la guerre... et que les Indiens ont été vaincus.

Les enfants ont écouté. Ils sont un peu déçus : la fin du récit leur paraît immorale.

Le grand-père comprend cela. Pour faire plaisir à son auditoire, il raconte l'histoire de Cochise tenant tête aux troupes américaines pendant dix années avec seulement deux cents guerriers Chiricahuas.

L'enthousiasme renaît.

Marco dresse sa petite taille. Sa décision est prise :

— Maintenant, je ne m'appelle plus Œil-de-Lynx : je m'appelle Cochise !

On joue encore un peu dans le Fort Apache.

Bientôt, l'ombre tombe sur les pieux, sur la tour, les escaliers, sur les frondaisons du Parc Pierre.

Vieux-Renard fait entendre la voix de la sagesse :

— Il est l'heure de rentrer.

— Tu ne crois pas, Vieux-Renard, qu'on pourrait rester encore un peu ?

— Non, Géronimo. Ta mère, Chevrette Rapide, doit être revenue de Viry-Châtillon. Pense qu'elle t'attend.

Géronimo se rend à cette raison.

Il rassemble ses troupes.

Marco le minuscule a disparu.

Le Grand-Chef l'interpelle :

— Eh ! Cochise ! Où es-tu ?

Alors, du fond du Fort Apache, parvient la voix de Cochise :

— Je fais pipi !

CHAPITRE II

Au football, Antoine et Pascal ont des talents qui se complètent : Antoine « bute » bien, Pascal « goale » encore mieux.

Quant au grand Zague, sa grande taille, ses grandes jambes lui donnent, au centre

du terrain, l'air d'une tour autour de laquelle s'agiteraient des guerriers malhabiles.

Antoine, Pascal et le grand Zague forment l'ossature solide de l'équipe de la Cité. Curt, Richard Sac, Thierry Condère, les frères Guinard et les deux Colomina complètent, avec Gérard Zajac, cette formation lorsqu'il s'agit de rencontrer « les gars de Morsang » ou « ceux de Pergaud ».

Marco, lui, est supporter.

Parfois, une contestation divise les adversaires qui, avec une belle unité, arrivent sur la touche. Le grand-père est fait juge :

— M'sieur ! M'sieur ! C'est vrai qu'il n'y a pas de hors-jeu sur corner ?

— Ah ! Oui, c'est vrai : il n'y a pas de hors-jeu sur corner.

— Clac ! fait le théoricien triomphant en passant son pouce sous le menton à l'adresse de l'ignorant.

Parfois, bien sûr, la contestation est plus vive.

Pascal arrive en courant :

— Grand-père ! Grand-père ! Il a arrêté le ballon avec la main devant les bois ! Pas vrai qu'il y a penalty ?

— Ah ! Oui, il y a penalty.

Le capitaine adverse proteste :

— Je l'ai pas fait exprès, m'sieur, de mettre la main, je l'ai pas fait exprès !

— Alors, si tu ne l'as pas fait exprès, il n'y a pas penalty !

L'espoir change de camp... La protestation est véhémente. Mais elle fond bientôt dans la joie de la course, le goût du combat retrouvé, l'odeur de transpiration, les appels intempestifs :

— À moi !

— Passe !

— Trop personnel, mon vieux !

— Centre !

— Attention !

— T'occupe !

— ... pour, bientôt, arriver à l'élan gigantesque.

— BUT !... Y' Y EST !

C'est du délire !

Sur la touche, serein et attentif, Marco interroge :

— M'sieur ! Comment vous savez tout ça, m'sieur ?

— J'ai été joueur, moi aussi, répond le grand-père en souriant à des souvenirs.

— Et Indien ?... Vous avez été Indien aussi ?

— Ah ! Non !... Non, je n'ai pas été Indien ! répond le grand-père en souriant plus encore.

— Alors, comment vous savez toutes les choses sur les Indiens ?

Le grand-père explique :

— Pour qui aime la lecture, quel merveilleux métier que celui de relieur ! Tous les récits, toutes les études, tous les romans, toutes les aventures de l'Homme et de l'Histoire passent entre vos mains. On lit même en travaillant ! C'est ainsi qu'on apprend les choses.

La partie est finie, l'équipe de Saint-

Hubert a gagné. Les adversaires mettent leurs dernières forces dans la contestation du but de la victoire qui aurait été marqué — dit-on — par une main habile. Les vainqueurs rejettent cette mauvaise foi.

Il y a des menaces. Le grand-père doit intervenir :

— Taisez-vous ! Taisez-vous ! Ce n'est pas pour se battre qu'on a inventé le football !

— Qui c'est qu'a inventé le football, m'sieur ? demandent quelques voix agitées.

Le grand-père est content. Il sait que l'hostilité des deux camps va s'évanouir au récit de ces petits Anglais créant sans le savoir ce qui allait devenir le jeu le plus populaire du monde.

— Ce sont des enfants qui ont inventé le football, m'sieur ?

— Ce sont des enfants qui ont commencé à jouer à « la balle au pied »... Chaque grande école avait son règlement : Cambridge, Eton, Harrow, Rugby...

Que le nom de Rugby soit mêlé à l'Histoire du football dépasse un peu l'entendement du grand Zague, mais il se garde bien d'intervenir : il veut savoir la suite.

— Au siècle dernier, ce fut la création des grandes fabriques destinées aux chemins de fer ou aux premiers navires à vapeur... Les ouvriers travaillaient très fort de leurs bras et de leur corps. Alors, les plus jeunes ont senti le besoin du plein air où s'exerceraient aussi leurs jambes... C'est comme ça que le football est né vraiment à Sheffield, en pleine région industrielle. Et c'est comme ça qu'en France, le premier club de football a été créé au Havre qui est aussi une ville industrielle.

— Dis, grand-père, comment il est venu d'Angleterre jusqu'au Havre, le football ?

C'est Antoine qui répond :

— Tiens ! Pardi, il est venu par bateau !... Par les premiers bateaux à vapeur !...

Antoine désigne le grand-père qui, devant lui, va claudiquant :

— Ce qui est sûr, c'est qu'il en sait des choses...

— Tu peux le dire qu'il en sait ! répond Zague sur un ton qui, nettement, signifie : jamais, dans ma pauvre tête, je ne ferai entrer tout ça.

Antoine hasarde une estimation :

— Peut-être, il est aussi calé que la maîtresse.

— Peut-être, oui, fait le grand Zague écrasé par tant de connaissances.

Encouragé, Antoine surenchérit :

— Peut-être, même, il est aussi calé que le dirlo !

Là, Antoine va fort. Le grand Zague

s'en rend compte. Il ne contredit pas mais il est sceptique.

Brigitte les a rejoints.

— Il en sait... mais... pour être directeur... faut en savoir aussi, tu sais.

— Je sais, je sais, dit Antoine qui n'aime pas contrarier Brigitte.

— Pour être directeur, faut en savoir autant que tous les instituteurs réunis.

Il y a un temps. Antoine réfléchit. Puis il demande :

— Comment on peut savoir si un directeur, il en sait autant que tous les instituteurs réunis ?

— Ils font des concours.

— Oui, ils font des concours. Mon père me l'a dit.

— D'un côté, tu as tous les instit's. De l'autre, tu as le dirlo.

Antoine a compris :

— C'est comme à la télé, quoi !... Des fois, ils font ça à la télé.

Rêveur, il ajoute :

— Dans tous les cas, avoir un grand-père comme ça, c'est drôlement chouette !

Marco intervient :

— Le grand-père de Pascal, moi je sais pourquoi il connaît beaucoup de choses, le grand-père de Pascal...

— Tu le sais, toi, pourquoi il connaît beaucoup de choses, le grand-père de Pascal ? demande Antoine.

— Oui, je le sais. Il m'a dit son métier. C'est avec son métier qu'il a connu les Indiens et les footballeurs. Il les a connus dans les livres.

— Euh ! Il a pas de métier : il est à la retraite.

— Il est à la retraite, mais avant, il avait un métier. Il était *reliseur*... Il me l'a dit le grand-père de Pascal : il était *reliseur*.

Les grands éclatent de rire.

Marco ne s'en émeut guère. Il est sûr de son fait :

— Oui, il était *reliseur*. Il me l'a dit. Alors... *Il relisait* !

Ainsi s'achève cet après-midi de mercredi où l'équipe de Saint-Hubert battit celle de Morsang par treize buts à douze, la validité du treizième but étant, comme on l'a vu, fortement discutée par les vaincus.

HA HA
HA

CHAPITRE III

L'institutrice dit aux enfants :

— Dans un mois, ce sera la fête des mères. Il faut que vous pensiez à préparer un petit cadeau pour votre maman.

Les cerveaux entrèrent en ébullition ! Que pouvait-on offrir ?

La maîtresse avait donné une première idée :

— Chacun de vous va faire un dessin... ce qu'il veut... une peinture... une sorte de carte avec « Bonne Fête Maman ».

Certains avaient battu des mains.

Antoine qui est modeste avait fait la moue :

— Si tu voyais comme je dessine !... Je ne sais pas si ça va lui faire tellement plaisir à ma mère de voir ça !

Les filles sont attentives aux besoins des mamans :

— Ma mère dit toujours qu'il lui faudrait une planche à repasser, dit Josyane.

— La mienne, ce qu'elle aime c'est les parfums, assure Martine.

Brigitte sait bien que sa maman voudrait un séchoir électrique. Mais elle craint la dépense : un séchoir électrique, ça doit coûter cher.

— Surtout avec la prise ! estime Antoine qui n'est pas encourageant.

Le grand Zague observe que sa mère non plus n'a pas de séchoir électrique.

— Peut-être, nous pourrions l'acheter à tous les deux ?

— Même à trois !

— Elles ne se sèchent pas les cheveux toutes en même temps !

Curt est logique et pratique :

— On va l'acheter à sept. Comme ça, dans la semaine, elles l'auront un jour chacune !

L'idée ravit l'auditoire quand Pascal, qui n'avait rien dit, se mêle à la conversation :

— Si un jour celle qui a le séchoir va

se promener, t'as l'autre qui reste avec les cheveux mouillés !

Cette perspective refroidit tout le monde. Surtout Zague :

— Ma mère, elle s'enrhume facile !

— La mienne, elle a de l'eczéma...

On ne voit pas un rapport très étroit entre l'absence d'un séchoir et une poussée d'eczéma mais, quand il s'agit de la santé, mieux vaut être prudent : le séchoir électrique est écarté des achats collectifs. On trouvera autre chose.

En attendant, on va au parc Pierre. Pascal doit y retrouver son grand-père.

On passe devant la Résidence des personnes âgées. C'est tout neuf. Avec un couple à son balcon, un sourire parmi des rides, deux yeux usés qui cherchent à s'égayer au spectacle de la rue...

Antoine n'avait jamais fait attention à la Résidence.

Le parc Pierre est une propriété ancienne que des jeux multicolores ont rajeunie. Les ombres centenaires cachent des manèges et des toboggans, un trampolino, le tonneau, une piste pour les patineurs, la rivière avec son petit pont, ses canards rigolos, ses cygnes à l'œil étonné, bien d'autres joies encore et le Fort Apache et le village indien et même un zoo miniature devant lequel s'arrêtent les enfants.

— Oh ! qu'il est beau ! chante-t-on devant le paon.

— Fais la roue !

— Léon ! Léon ! Léon !... Fais la roue !

Ce paon-là n'a pas d'orgueil. Il garde pour lui ses verts et ses bleus, ses jaunes, ses rouges, ses plumes secrètes, son éventail aux bronzes ensoleillés.

Déçus, les enfants le quittent :

— T'es un pauvr' paon !

— Un petit paon !

— Pan ! Pan ! Pan ! Pan ! Pan ! Pan ! fait toute la bande.

Et on joue aux agents spéciaux, aux espions, aux cow-boys, aux hors-la-loi... Pan ! Pan ! Pan !...

Mais, protégés des recherches policières par les épaisses futaies, gangsters, ravisseurs et trafiquants en reviennent à leur grande préoccupation :

— Qu'est-ce que je pourrais bien lui acheter à ma mère pour la fête des mères ?

Antoine pense à un livre.

Brigitte trouve l'idée intéressante. Avec, toutefois, un inconvénient :

— Un livre, quand on l'a lu, c'est comme si on n'avait pas eu de cadeau !

— Ou alors, estime astucieusement Pascal, il faudrait un livre intéressant... qu'on relise souvent.

Antoine conclut :

— Je vais lui acheter un livre de cuisine :

Cela rend Zague soupçonneux :

— Tu manges pas bien chez toi ?

Après un court examen, en toute honnêteté, Antoine constate :

— ... Pas terrible !

Le grand-père de Pascal est arrivé.

Il n'est pas possible que ce grand-père qui sait tant de choses ne trouve pas le cadeau qui fera plaisir, avec si possible le moyen de se le procurer :

— M'sieur ! Une idée ! M'sieur ! Pour ma mère, m'sieur ! Elle aime les chocolats,

m'sieur ! Et moi aussi, j'aime les chocolats ! Une idée, m'sieur !

Le grand-père se dégage à grand-peine.

Il ne refuse pas d'entendre chacun mais il donne des numéros d'ordre.

Le grand Zague a droit à la première consultation. Par une sorte de gêne pudique, il murmure :

— M'sieur, je voudrais quelque chose pour m'empêcher de grandir.

Le grand-père sursaute :

— Quoi ?

Zague explique :

— ... À cause de mes vêtements, m'sieur ! Ils sont toujours trop petits... Ma mère dit toujours : « Ce qui me ferait plaisir, c'est que tu t'arrêtes un peu de grandir »... Qu'est-ce que je peux faire pour m'arrêter de grandir, m'sieur ?

Sur la table fanée que les pluies et le soleil ont lavée, séchée, boursouflée, Pascal et Antoine ont engagé une partie de ping-pong.

La balle va d'un camp à l'autre avec, lors de chaque renvoi, la poursuite d'une conversation engagée avec la partie :

Ping !

— Dis, Pascal... pourquoi t'as un grand-père ?

Pong !

— Je ne sais pas moi ! C'est comme ça !

Ping !

— Dans la cité, y a que toi qu'as un grand-père !

Pong !

— Y a que moi ?

Ping !... La balle est partie sous une branche basse. On voit sa tache ronde sur les feuilles obscures, les petits bois fragiles.

Martine en profite pour entrer dans la conversation :

— Moi aussi, j'ai un grand-père.

— T'as un grand-père, toi ? On ne le voit jamais.

— Moi, je le vois... Quand c'est les vacances. Je vais chez lui... Même, j'ai deux grands-pères. Ils sont tous les deux dans les Pyrénées.

— Comment ça peut se faire ? s'étonne Marco.

La balle est revenue. La partie a repris avec José :

Ping !

— Moi aussi, j'ai un grand-père !

Pong !

— Où il est ton grand-père ?

Ping !

— Il est au Portugal.

Pong !

— C'est loin le Portugal.

Ping !

— Les grands-pères, ils sont toujours loin.

À nouveau la balle part en vacances. Elle saute, légère, hésitante sur un gazon naissant.

Dans le zoo, un flamant rose s'est couché. On pense qu'il est malade.

— Moi, fait Pascal, quand je serai grand, je serai vétérinaire.

— Moi, quand je serai grand, je serai pompier, dit Marco en agitant une imaginaire lance d'incendie... Pouein-Poum ! Pouein-Poum !

— Un pompier, ça ne soigne pas les animaux !

— Ça les soigne pas mais ça les sauve.

Marco conclut :

— Moi, quand je serai pompier, je sauverai d'abord les animaux !

Le soir, à table, Antoine rêvait. Soudain, il demande :

— Maman... Pourquoi y en a qui ont des grands-pères ?

— Tout le monde a deux grands-pères.

— Moi, je n'en ai aucun.

La maman d'Antoine a baissé la voix :

— Tu... en as un qui est mort.

— Mort ?

— Oui. C'était mon papa.

— Mon grand-père, c'était ton papa ?

Antoine est vraiment heureux de cette coïncidence ! Il voudrait qu'on lui parle de ce monsieur inconnu qui avait vu sa maman toute petite et qui, sans doute, avait de l'affection pour elle... Il voudrait qu'on lui parle de son autre grand-père. Mais le père d'Antoine n'a pas envie de parler. Antoine a compris, même, que son père ne voulait pas parler de ce grand-père-là. Il a compris qu'il y avait, là-dessous, un secret.

Antoine a fait ce que font tous les enfants en un pareil cas : il s'est promis d'éclaircir le mystère, il s'est promis de savoir qui est ce grand-père dont on ne lui parle jamais et dont on a dit seulement qu'il vit là-bas, dans l'Aveyron.

Aveyron... Aviron... Dans son lit, Antoine pense à des bateaux aux rameurs énergiques, à l'air frais qui frappe au visage quand on va sur l'eau.

Des mots lui reviennent... Il sait que l'Aveyron est sur la montagne...

Que fait son grand-père ? Peut-être est-il gardien de troupeaux ? Avec un long manteau noir et des cloches heureuses qui sonnent au cou des bêtes ? Peut-être a-t-il des vaches grasses comme Antoine en a vu cet été en allant à la mer ? Ou peut-être surveille-t-il quelques chèvres capricieuses qui donnent des coups de cornes quand on veut leur prendre leur lait ? Sait-il raconter des histoires ?

Après s'être promené sur l'eau, Antoine se promène sur la montagne.

Il monte avec les prairies de son grand-père. L'air encore le frappe au visage. Le soleil l'éblouit. Les fleurs sont parfumées. On entend le bzzzzzzzvrroummmmmmzzzzz d'une abeille.

Antoine s'est endormi.

CHAPITRE IV

Si les petits paysans « savent » des nids de merle et jouent au vétérinaire avec un agneau auquel ils donnent le biberon, si les petites paysannes fondent une famille nombreuse et rousse avec des épis de maïs échevelés, les enfants des cités, eux, ont d'autres joies. Ils ont à leur disposition des installations créées spécialement pour eux (manèges, balançoires, labyrinthes...) et aussi des objets amusants qui ne leur sont pas destinés mais qu'ils ont annexés : au premier rang de ceux-ci se trouvent les caddies.

Pas les caddies des « grandes surfaces » : pour s'en servir, il faut mettre une pièce dans la fente. À la cité, le magasin de M. Benguigui est, comme dit Zague, « une petite grande surface : une supérette devant laquelle les caddies sont en liberté ! La ménagère y dépose tout ce qu'elle a acheté. Puis, si elle n'habite pas loin, elle rentre chez elle en poussant le chariot qu'elle abandonne devant sa porte.

C'est là que les enfants le trouvent, ils le prennent, le poussent, le lancent, le gardent, en font une maison ou un taxi, un landau, un autobus...

Les enfants sont aussi des ramasseurs bénévoles.

C'était cela l'idée que le grand-père avait donnée à Zague.

Il lui avait dit :

— Puisque, chaque fois que tu rapportes un chariot M. Benguigui te donne un bonbon, tu vas chaque jour rapporter au magasin tous les chariots que tu trouveras : le jour de la fête, tu auras ainsi une grande poche pleine que tu pourras offrir à ta mère.

Le grand Zague avait accepté ce projet avec enthousiasme.

Mais il avait eu le tort d'en parler.

D'autres avaient trouvé l'idée heureuse et, sournoisement, ils s'étaient mis, eux aussi, à rapporter les caddies : dès qu'un chariot était abandonné devant une porte, il y avait toujours une main inconnue pour s'en emparer et le conduire à la supérette.

Le grand Zague était désespéré. Antoine le tira de son pessimisme :

— Laisse-les récupérer leurs chariots un à un... Ce sont des traîne-misère !... des gagne-petit !... Nous, c'est samedi qu'on s'y mettra... Tous les quatre...

Le samedi, les pères sont là, les mamans les utilisent comme conseillers et comme porteurs, c'est le jour des achats : il y avait des caddies partout !

Quelle organisation !

Antoine s'occupa de la rue du Pasteur-Martin-Luther-King et de la rue Pierre-et-Marie-Curie, Zague nettoya la rue Maryse-Bastié et la rue de l'Abbé-Grégoire, Pascal fit le vide rue Jean-Jacques-Rousseau et rue d'Alembert. Brigitte et Martine en apportèrent aussi, les joignirent à ceux qui étaient là ; on les emboîta les uns dans les autres ; il fallut former deux rames pour pouvoir les diriger : il fallut se mettre à plusieurs pour pousser deux serpents immenses, gris et lourds ; oui, tout le monde s'affaira avec ardeur jusqu'à la supérette — sauf, bien sûr, Marco qui, debout dans le chariot de tête, assurait les fonctions précieuses de vigile et de chef de convoi.

Quelle récompense !

On ne compta même pas les chariots !... Pour le prix de leur zèle, M. Benguigui remit aux travailleurs une poche de bonbons ! Entière ! Des bonbons aux fruits, ceux qui ont un papier autour.

Le grand Zague en fut ému. Il imagina les bonbons dans la boîte. Sans doute, ils ne la rempliraient pas mais, en renouvelant la manœuvre une fois ou deux d'ici la fête, sûrement il présenterait une boîte débordante, comme on en voit dans la vitrine du pâtissier. Ça fait chic !

Un dialogue curieux le tira de ses rêves :

— Ils sont bons, au moins ? demandait Marco.

— Pourvu qu'ils soient bons !... Moi, si j'offrais des bonbons, je voudrais être sûre qu'ils sont bons ! estimait Brigitte.

Nonchalamment, Pascal ajoutait :

— Pour être sûr (vraiment — vraiment sûr) qu'ils sont bons, il faudrait les goûter !

Zague avait compris. Il fut indigné.

Mais il savait qu'il était vaincu : on ne refuse pas un bonbon à des gens qui vous ont apporté une aide si amicale...

Il offrit donc un bonbon.

On l'apprécia.

La preuve, c'est que, bientôt, Antoine s'écria :

— Le *premier* était très bon !

Ce « premier » fit sursauter Zague. Il avait beau avoir accumulé un retard scolaire, il savait très bien que, s'il y a un premier, c'est qu'il y a, pour le moins, un deuxième.

Il offrit un deuxième bonbon.

Et puis, les bonbons aux fruits, c'est particulier : chacun d'eux a un parfum différent... Pascal qui a eu l'orange veut goûter le citron, Martine trouve le cassis « super » et Brigitte en veut à son tour... Antoine n'a pas eu de fraise et il serait injuste de l'en priver. Quant à Marco, après avoir essayé l'orange, le citron, le cassis et la fraise, il voudrait bien revenir au café qu'il avait eu en premier et dont, maintenant, « il ne se rappelle plus le goût !... »

Bref, la bande n'était pas revenue à la cité que la poche était vide, déchirée, jetée, inutile.

Zague en fut un peu triste. À cause de sa mère.

Il se consola en pensant à la deuxième idée que lui avait donnée le grand-père de Pascal. Une idée « bien meilleure encore que celle des bonbecs ».

Mais, ayant appris la prudence, il ajouta :

— Celle-là, je la garde pour moi. J'ai pas envie qu'on me la pique.

— Ça doit être agréable d'avoir un grand-père qui a des idées pour tout ! soupira Martine.

Antoine ressentit un pincement au cœur. Maintenant, il en était sûr : il lui fallait un grand-père. Et il en aurait un. C'est une idée qui lui était venue voici quelques jours. Il convenait sans tarder de la mettre à exécution.

L'après-midi, il rencontra le grand Zague qui, armé d'un cahier, de papier

adhésif et d'un stylo, collait des affiches à l'entrée de chaque escalier.

Il s'approcha. Il lut :

Garçon grand et fort laverait voitures
jusqu'à la fête des mères.
Travail impeccable. Prix petit.

— C'est ça, l'autre idée que t'a donnée le grand-père ?

— Oui, répondit Zague sans plus se cacher.

Il ajouta :

— Si tu veux, on peut les laver ensemble.

— Combien tu vas te faire payer ?

— Dix francs. Ça nous fera cinq francs chacun.

— Tu ne crois pas que c'est cher ?

— Si tu veux, on peut dire neuf francs.

— À neuf francs, combien ça nous fait chacun ?

— Ça fait... ça fait...

Zague essayait de calculer. Il faisait des efforts. Au bout d'un instant, il conclut :

— T'as raison : faut prendre dix francs.

C'était la sagesse.

Désignant tous les accessoires d'afficheur que transportait le grand Zague, Antoine ajouta :

— Dis donc, puisque t'as tout le matériel, tu vas me le prêter.

Zague donna le cahier.

Antoine en arracha une page et l'appuya à la cabine téléphonique nouvellement installée puis, commençant à écrire, bientôt il demanda :

— « Gentil »... il faut un L ?

Zague tomba des nues :

— À « gentil », tu mets un L ? !... Et... où tu mets un L à « gentil » ?

— À la fin.

Cette fois, Zague sursauta :

— T'es pas louf, non ?

Antoine en fut ébranlé :

— Faut pas de L à « gentil » ?

— Je sais pas mais ça fait bizarre ! estima Zague sur un ton méfiant.

Ils arrivèrent à la Résidence.

Zague fut chargé de faire le guet. Marco devait l'aider dans cette tâche.

Antoine entra.

RESIDE

Il n'y avait personne au bureau, personne dans le hall. Sur une porte vitrée, on lisait TÉLÉVISION. Il n'y avait personne non plus dans cette pièce.

Antoine s'approcha du mur qui était face à la porte.

Au beau milieu, il fixa son papier.

Puis il s'éclipsa.

Sur le papier d'écolier on lisait :

On demande grand-père gentil
et connaissant des trucs. Libre de suite.

CHAPITRE V

Il y avait beaucoup de monde le mercredi suivant lorsque, à la Résidence, Antoine et ses copains poussèrent la porte marquée TÉLÉVISION. La plupart des regards n'avaient ni crainte ni espérance : ils disaient une curiosité pétillante, l'attente d'un imprévu venant, pour un peu, emplir le temps vide qui était devant eux.

— C'est cette histoire de « trucs » qui nous inquiète, murmura Mme Marie, une bonne dame au visage d'ancienne maman.

— Nous allons voir ! Nous allons voir ! fit Antoine d'un air absorbé.

Il avançait en levant la tête, regardant tout le monde dans les yeux : il ressemblait à Napoléon passant ses troupes en revue après la bataille d'Austerlitz. Mais il ne tira l'oreille à aucun grognard.

Il s'arrêta net devant un personnage inattendu.

C'était un grand homme maigre portant un habit bleu un peu râpé — un habit véritable : avec les pans qui vous battent les mollets —, une fleur rouge à la boutonnière, un nœud en soie sur un col raide et, sur sa tête, un chapeau haut-de-forme qui s'affaissait sous le poids d'une longue fatigue.

— Il s'appelle M. Magicman, précisa Léone. (C'était une dame pas très âgée qui, dès qu'elle parlait, secouait la tête. Elle avait une voix aiguë et s'intéressait à tout.)

— Pour connaître des trucs, il connaît des trucs ! affirma Mme Marie avec admiration.

M. Magicman sortit un jeu de cartes de sa poche. Il fit choisir une carte à Antoine qui, après l'avoir regardée, la remit dans le paquet. M. Magicman déposa le paquet dans un verre et, comme ça, à distance, sans toucher à rien et simplement en soufflant dessus, M. Magicman fit monter la carte qui, toute seule, sortit du verre : par magie.

— Il s'appelle M. Magicman, dit Léone en secouant la tête.

M. Magicman ne s'en tenait pas là. Il enlevait les cartes, emplissait le verre d'eau : une fleur poussa au fond, s'ouvrit, montra ses pétales jaunes et bleus.

Les enfants ne regrettaient pas leur venue.

— Ça c'est des trucs !... Même : c'est des beaux trucs !...

Antoine rompit le charme :

— C'est des trucs extra... Mais nous, M. Magicman, c'est pas des trucs comme ça qu'il nous faut.

Le visage de M. Magicman s'assombrit.

Antoine poursuivit :

— Dans la rue... ou à la sortie de l'école, vous n'allez pas apporter une fleur et un verre d'eau... Non, c'est pas des trucs comme ça qu'il nous faut...

— Je ne sais pas ce que vous voulez, fit M. Magicman qui était très déçu.

Antoine expliqua :

— On veut des trucs de la vie.

— De la vie ?

— Oui... des trucs qui sont arrivés... qu'on raconte... on y croit... ça fait des leçons... c'est utile les leçons... C'est des trucs comme ça qu'il nous faut...

Il y eut un temps. Dans le silence, Antoine reprit l'attitude de Napoléon : il recommença sa marche.

Alors, il aperçut un homme tout noir avec des cheveux blancs qui le regardait avec beaucoup d'intérêt. Il avait l'air triste et bon. Il parlait d'une voix douce, avec des accents chantants :

— *Pendant que la troupe défilait, Tom cherchait des yeux s'il n'apercevait pas quelque visage sociable...*

Léone secoua la tête :

— Celui-là, c'est Monsieur l'Oncle Tom.

En fait — Antoine le sut plus tard — le Noir aux cheveux blancs ne s'appelait pas Monsieur l'Oncle Tom. C'est un nom qu'on lui avait donné depuis longtemps parce que, depuis longtemps, ce monsieur noir vivait avec *la case de l'Oncle Tom*. C'est un livre dont il ne se séparait jamais, qu'il avait appris par cœur et qu'il lisait encore à chaque moment du jour. Le sort de ce nègre vendu comme esclave le révoltait. Sa nature généreuse le remplissait d'admiration. Aussi avait-il pris l'habitude de s'exprimer par ses phrases, par les mots du livre entrés dans sa mémoire et qu'il adaptait à toutes les situations de son existence.

— Bonjour monsieur, lui dit Antoine avec beaucoup de politesse. Vous habitez ici, vous aussi ?

Désignant la Résidence, la pièce, les gens qui l'entouraient, le Noir à cheveux blancs répondit :

— *Tom attendit longtemps avant d'avoir sa place au moulin.*

Antoine hésita. Ce monsieur noir, peut-être, connaissait des trucs ? Pourtant, il convenait de ne pas choisir trop vite : après, on a des regrets.

Antoine murmura :

— C'est pas un oncle qu'il nous faut, Monsieur Tom : c'est un grand-père.

Il poursuivit sa route.

Le vieux monsieur noir à cheveux blancs le regarda partir. Il tira un livre de sa poche.

C'était *La Case de l'Oncle Tom*. Il lut :

— *Tom s'assit alors auprès du foyer et tira sa Bible. Il avait besoin de consolation.*

Mme Marie demanda aux enfants :

— Pourquoi voulez-vous un grand-père ? Ce n'est pas pour le bousculer, au moins ?

Le trio se récria :

— Oh ! Non, madame : on veut un grand-père pour le montrer.

— Le montrer ! À qui ?

— Aux autres, pardi !

— Le montrer aux autres ! Pour quoi faire ?

— Pour les épater ! dit Zague avec beaucoup de simplicité.

— Et puis, on veut qu'il nous raconte des histoires, ajouta Antoine.

— Des histoires de quoi ?

— De ce qu'il voudra, dit encore Zague : faut qu'on les épate, c'est tout.

Mme Marie a une idée qui la fait sourire :

— Ce... grand-père, ... ça ne peut pas être une grand-mère ?

C'est une idée qui n'était venue à personne.

On se consulte :

— Une grand-mère, c'est pas mal.

— Ouais ! Mais ça ne sait pas d'histoires.

— Peut-être celle-là elle en connaît !

— La grand-mère, elle n'aura pas fait la guerre tout de même !

— Même, elle n'aura pas fait l'Indien, dit Marco.

Si bien que, après avoir bien réfléchi, Antoine et sa bande donnent à Mme Marie une réponse unanime :

— Non... non... ça ne peut pas être une grand-mère.

— C'est dommage, fait simplement Mme Marie qui ajoute : ... Parce que moi, je connais une grand-mère qui sait faire de bons gâteaux.

Le mot a un effet immédiat. Les enfants se groupent, leur cercle se rétrécit, les trois visages disparaissent dans un conciliabule discret :

— Les gâteaux, c'est pas mal, les gâteaux !

— C'est pas mal mais c'est pas ce qu'on veut.

— Ah ! C'est bon les gâteaux !

— Quand on aura mangé les gâteaux, qu'est-ce qui nous restera pour épater les autres ?

— Peut-être on n'épatera pas les autres mais on mangera les gâteaux !

— Qu'est-ce que tu cherches : un grand-père ou une pâtisserie ?

La conversation se poursuit à voix plus basse encore, on n'entend plus que des « Oh ! » « Ah ! » « T'es marrant ! »... « Des gâteaux ? » « Boh ! »... « À la crème ? ! ! » « Pof !... »

Enfin les trois amis se séparent.

Antoine vient à Mme Marie :

— Madame, je dois vous dire... Non... Non... même avec les gâteaux... la grand-mère : ça va pas.

Un monsieur qui porte un béret lui met la main sur l'épaule :

— Moi, j'ai un petit-fils, il doit avoir ton âge.

— Comment s'appelle-t-il ? demande Antoine.

— Julien.

— Il est là ?

— Ah ! Non !... Il est loin. À la Guadeloupe. Avec son papa et sa maman. Ils m'écrivent parfois.

— Et Julien, il vous écrit ?

— Pas souvent... Une fois par an... le 1er janvier.

Ce monsieur qui soupire, qui sourit et qui porte un béret s'appelle M. Robert. Il demande :

— Tu travailles bien à l'école ?

— Ça va ! répond modestement Antoine.

— Qu'est-ce que tu préfères ? L'orthographe ? Le calcul ?

Ce que préfère Antoine, c'est l'histoire. Il sait toujours ses leçons.

Quand on questionne la classe, il lève toujours le doigt le premier.

— L'histoire ! s'exclame M. Robert. Alors, nous sommes faits pour nous entendre !

C'était vrai. Sans plus s'occuper des autres, ils commencèrent à parler.

Il faut dire que les autres ne s'occupaient pas d'eux non plus.

Marco demandait :

— M. Magicman, tu sais faire sortir un lapin de ton chapeau ?

— Ah ! Oui, je sais faire sortir un lapin de mon chapeau. Je le faisais toujours dans mon numéro à Bobino ou à l'Olympia.

— Alors, vas-y... fais sortir un lapin de ton chapeau.

M. Magicman est très embarrassé.

— Ah ! Mais... je ne peux pas... il faut une préparation... Ici... je n'ai plus mon matériel...

Marco insiste :

— Ça ne fait rien. Fais sortir le lapin de ton chapeau.

— Je ne peux pas, voyons, répète M. Magicman désolé... Ici... où veux-tu que je trouve un lapin ?

Marco ouvre de grands yeux naïfs :

— Ben... dans ton chapeau, pardi !

CHAPITRE VI

Le lendemain, en sortant de l'école, la conversation était animée. On racontait la visite, la réception, on n'oubliait aucun détail. Pascal se demandait pourquoi ses copains étaient allés à la Résidence.

Zague était enthousiaste.

— Il est terrible, M. Magicman !

— C'est vrai qu'il fait de la magie ?

— Oui, mon mec ! De la vraie magie ! Dans son jeu, l'as de trèfle devient rouge et l'as de carreau devient tout noir.

— L'Oncle Tom aussi il est tout noir ! dit Marco.

— Il est tout noir avec des cheveux devenus tout blancs.

— Et puis, Mme Marie, elle sait faire des clafoutaux.

— Ti.

— To.

— Des clafoutis. Pas des clafoutaux.

— N'empêche : c'est bon, dit Marco qui n'est pas contrariant.

On passe devant la Résidence.

Antoine aperçoit M. Robert à sa fenêtre, au deuxième étage. Il lui fait un gentil signe de la main. M. Robert renvoie le salut. Les enfants passent. Ils s'en vont.

Antoine se retourne plusieurs fois et continue son gentil geste de la main.

Bientôt, l'autobus s'arrête et le cache. M. Robert ne regarde pas les gens qui montent ou qui descendent de l'autobus. Il essaie d'apercevoir encore la petite main d'Antoine. Il ne la voit plus. Il pense que cet arrêt est mal placé.

Il pense surtout que, désormais, à l'heure de la sortie des classes, il descendra.

L'ensemble voisin s'appelle la cité Pergaud. Elle possède une bibliothèque pour les jeunes. C'est une salle pimpante où les lecteurs s'assoient sur des cubes figurant de gros dés. Plusieurs même sont allongés sur le sol, leur livre ouvert devant eux. Thierry, Muhedine, Manu, Sarah et tous les Jean-Marc et toutes les Gloria tournent des pages, posent un livre sur le rayonnage, en choisissent un autre, donnent ou acceptent un conseil de lecture, se montrent une phrase ou une illustration remarquées : tous sont ici chez eux.

C'est drôle : la responsable est une dame au regard d'enfant. Un regard bleu que le dévouement empêcha de vieillir.

Assise à sa table de réception, elle explique au grand-père de Pascal :

— Pour lire ici, c'est gratuit. S'il veut emporter des livres, c'est quinze francs pour l'année. Il a droit à quatre livres par semaine... deux le mercredi, deux le vendredi. Ce sont mes jours d'ouverture.

— Inscrivez-le, dit le grand-père en tendant trois pièces de cinq francs. Il ajoute : si je peux vous aider... pour remettre quelques livres en état... C'était mon métier... Ne vous gênez pas.

La dame accepte avec plaisir.

Entre un nouveau, un garçon qu'elle ne connaît pas. C'est le grand Zague. Il ne vient jamais à la bibliothèque.

Le grand Zague s'approche du petit bureau. Il paraît encore plus grand. Il a sorti sa casquette qu'il tient devant lui. Dans un souffle, il demande :

— Madame... Est-ce que je pourrais lire un livre qui s'appelle *La Case de l'Oncle Tom ?*

Lorsque Antoine aperçut M. Robert devant la Résidence, il quitta ses copains, traversa la rue et vint à lui d'un air décidé.

Ils ne parlèrent pas beaucoup parce que Antoine a l'habitude de rentrer directement de l'école.

Antoine se mit à courir pour rattraper ses copains : il ne voulait pas que sa maman les voie arriver sans lui.

M. Robert estima que, désormais, mieux vaudrait aller attendre Antoine à la sortie, devant l'école.

— Pourquoi es-tu content, grand-père demande Pascal.

— Parce que le nom de Pergaud a été donné à cette cité. Dans cette cité, on a créé une bibliothèque pour les jeunes. Voilà donc le nom de Pergaud qui vient se poser sur cette bibliothèque : ça ne pouvait pas mieux tomber !

— Pourquoi ça ne pouvait pas mieux tomber, m'sieur ? demande Antoine.

Le grand-père explique qui était Pergaud, l'instituteur-écrivain... Il parle de ses livres, de ses personnages... de Lebrac et de Petitgibus, les héros de *La Guerre des boutons*, du chien Miraut, finaud et simple à la fois, épris de liberté, sachant rendre au mieux l'amour qu'on lui témoigne... Antoine tremble pour Fuseline, la fouine héroïque capable de s'amputer de sa patte sanglante pour s'évader du piège d'acier qui la croyait tenir à jamais dans ses mâchoires. Il est ému, bouleversé même, par la mort de Guerriot le petit écureuil, regardant un homme sans savoir qu'il est un chasseur, regardant son fusil sans savoir qu'il est une arme et qui, nullement inquiet, reste sans bouger devant ce trou noir montant devant lui. Clac ! « Un immense éclair rouge jaillit de l'œil vide. » C'est fini. Guerriot tombe sur le sol. Il est mort, avec, entre les dents, sa dernière noisette...

Oui, Antoine est bouleversé.

Il aime cette histoire racontée par le grand-père de Pascal.

Mais, au fond de soi, il ne sent plus ce tourment qui l'agaçait jadis lorsque le grand-père parlait.

Antoine croit bien qu'il était un peu jaloux... Il ne l'est plus... ça lui fait plaisir.

Monsieur Robert dit à Antoine :

— Moi, ce n'est pas à l'école que j'ai appris l'histoire... c'est après.

— Pourquoi ? demande Antoine avec beaucoup d'étonnement : après... c'était plus la peine !

— C'est venu comme ça... j'étais au maquis.

— Qu'est-ce que c'est, le maquis ?

— Tu ne sais pas ce que c'est le maquis ? Toi qui veux être professeur d'histoire !

— Non, je ne le sais pas, reconnaît Antoine qui se sent coupable... et ne veut pas le rester : qu'est-ce que c'est, le maquis ?

— Ah ! Ça va être long à t'expliquer.

— Ça fait rien... Raconte, grand-père, raconte !

C'est la première fois qu'Antoine appelle M. Robert « grand-père ». Il ne s'en est même pas aperçu. M. Robert, lui, s'en est aperçu : il a senti le mot qui, avec une force douce, descendait au plus profond de lui. M. Robert s'est raclé la gorge :

— Le maquis... ce... c'était il y a longtemps...

— C'était avant les Gaulois ?

— Ah ! Non !... Tout de même !... dit M. Robert souriant...

Il parle de 1940... quand les Allemands sont entrés en France et, en un mois, ont occupé le pays.

— Pourquoi les Allemands ont occupé la France, grand-père ?

— Ils étaient dirigés par un homme plein d'ambition, un dictateur qui voulait dominer le monde... Il avait préparé une armée puissante, une armée mécanique avec des chars et des avions... Quand il attaqua, tout se brisa devant lui...

— Alors les Français sont devenus Allemands ?

— Ah ! Non. Les Français sont restés Français. Mais les Allemands étaient là. Ils prenaient le blé dans nos fermes, le vin dans nos cuves, le bois dans nos forêts...

— Et les Français qu'est-ce qu'ils ont fait ?

— D'abord ils ont imprimé des tracts...

— Ceux qui ont résisté les premiers, alors, ce sont les imprimeurs ?

— Les imprimeurs ont fait beaucoup

pendant la Résistance… c'est vrai… les cheminots aussi…

— Qu'est-ce qu'ils ont fait les cheminots, grand-père ?

— Ils ont fait dérailler les trains d'Allemands, détourné leurs convois de matériel, fait exploser leurs munitions, ils ont déposé des tracts dans les wagons de voyageurs, ils ont protégé des résistants, les ont cachés, évacués, ils leur ont fait passer les frontières… Ils ont…

— Et toi, grand-père, toi ?… qu'est-ce que tu faisais ?

M. Robert raconte. Ça n'est pas facile :

— Une nuit, avec quatre autres maquisards, nous sommes partis dans une camionnette qui n'avait pas de lumière…

— Vous auriez dû la réparer avant de partir ! estime Zague qui vient d'arriver avec ses copains.

— Mais non ! La camionnette avait de la lumière, mais nous faisions exprès de ne pas nous en servir.

— La nuit, c'est défendu de rouler sans lumière ! fait observer Marco.

— Ouais ! Mais ils voulaient pas se faire repérer par les Allemands ! dit Zague.

M. Robert voit qu'il est compris : il continue. Il explique l'arrivée, le repérage de la ronde, l'entrée silencieuse en passant sous les barbelés, la pose du plastic, le retour en courant jusqu'à la voiture et, bientôt, dans la nuit, l'explosion, alors qu'on roulait déjà, loin sur la route.

— Pourquoi vous avez fait sauter l'usine électrique ?

— Pour que les Allemands n'aient plus de lumière.

— Alors les Allemands aussi roulaient dans le noir ?

M. Robert ne veut pas décourager son auditoire. Il est évasif :

— Ils roulaient dans le noir... Oui... si on veut... Ils roulaient dans le noir... et puis... ça les gênait... pour tout...

— Bien sûr ! dit Antoine qui pense avoir compris... Tiens ! Pour écrire un rapport, par exemple : sans lumière, t'es foutu !

— Surtout un rapport en allemand ! fait le grand Zague qui, d'un regard soucieux, semble toujours mesurer les difficultés d'une entreprise.

Antoine renchérit :

— Même pour compter les soldats, sans lumière, t'es foutu aussi !

M. Robert pense que la Résistance est difficile à expliquer.

Il n'importe. Quand il voit Antoine arriver en courant et lui sauter au cou en l'appelant « grand-père », quand il sent sa petite main se glisser dans sa main ridée, quand Antoine lui pose mille questions sur les parachutages d'armes ou la diffusion des messages secrets, M. Robert retrouve au plein de son âme une impression lointaine : il vit, il est heureux. C'est-à-dire : il est utile, on l'en remercie. À son gré, Antoine l'en remercie même un peu trop bruyamment parfois.

Un après-midi, il l'a retrouvé au parc Pierre.

À son habitude, Antoine lui a demandé des tas de renseignements sur son rôle ancien, ses combats, les méthodes de camouflage.

M. Robert a répondu consciencieusement en remarquant ce jour-là chez Antoine une excitation inhabituelle, grandissante. Il parlait vite, fort, répétant ses phrases, posait même des questions superflues :

— Vous attaquiez les Allemands ?

— Évidemment, nous attaquions les Allemands !

— Vous les attaquiez souvent ?

— Oui ! Oui, nous les attaquions souvent !

— Vous attaquiez les Allemands ?

— Bien sûr ! Bien sûr, nous attaquions les Allemands !

— Vous les attaquiez avec vos armes ?

— Ben... Oui... Nous les attaquions avec nos armes parbleu !

— Tac ! Tac ! Tac ! Tac ! Tac ! Tac ! Tac ! Tac !

Monsieur Robert commence à s'inquiéter pour la santé d'Antoine.

Il n'a pas remarqué Pascal et Brigitte jouant dans l'allée voisine. En vérité Antoine ne cherche pas des renseignements : il veut les faire entendre à ses deux amis, il veut établir auprès d'eux la Gloire définitive de son grand-père. Comme dirait Zague : il veut les épater !

Il hurle :

— Mon grand-père est un héros ! Mon grand-père est un héros !

M. Robert essaie tant bien que mal d'interrompre Antoine :

— Mais non ! Je ne suis pas un héros ! Mais non ! Je ne suis pas un héros !... Ne crie pas comme ça, voyons, tu me gênes...

C'est peine perdue.

D'une voix de stentor qu'on entend au-delà du parc, Antoine proclame :

— Mon grand-père est un héros ! Mon grand-père est un héros !

Dans le zoo miniature, les singes se demandent quel est l'animal qui fait tout ce bruit.

CHAPITRE VII

Le père d'Antoine entra dans une violente colère :

— Qu'est-ce que c'est que cette histoire ! Tu t'inventes un grand-père, maintenant ?

— Je ne l'ai pas inventé ! Il est là : c'est mon grand-père !

— Ce n'est pas ton grand-père !... Un grand-père, tu en as un ! Il est dans l'Aveyron.

— Pourquoi on ne le voit pas, alors ?

— On ne le voit pas... on ne le voit pas... parce qu'il est fâché.

— Un grand-père, ça ne se fâche pas.

— Eh bien ! celui-là, il est fâché.

— Alors, c'est pas un vrai grand-père !

Antoine est buté. Son père se calme. Il

tente de renouer le dialogue, essaie la persuasion :

— Moi, j'avais un grand-père : je ne l'avais pas choisi !

— Je sais qu'autrefois c'était comme ça ! répond Antoine imperturbable.

— C'est encore comme ça ! Sa famille, on ne la choisit pas.

— Ah ! Non ?... Et maman ? Tu ne l'as pas choisie, peut-être ?

— Maman... ce n'est pas ton grand-père !

— C'est vrai, dit Antoine, péremptoire : mon grand-père, c'est Monsieur Robert. Maintenant, je lui ai dit, c'est fait, il n'y a pas à revenir là-dessus !

Le père d'Antoine explose. La maman essaie de le calmer. Le père d'Antoine sort, il va prendre l'air ou il va à une réunion, on ne sait pas...

Auparavant, il avertit tout le monde — « tout le monde, vous entendez ? » répète-t-il en regardant sa femme —, il avertit tout le monde que, si Antoine revoit Monsieur Robert, c'est lui qui ira le trouver, ce bon-

homme, il ira !... et il lui dira ce qu'il a a lui dire !

Lorsqu'ils sont seuls, la mère essaie de raisonner son fils :

— Mais enfin... pourquoi veux-tu avoir un grand-père ?

— Pascal... il en a un.

— Et alors ?

— Alors... il lui raconte des histoires... il sait des trucs.

La maman caresse l'enfant. On l'entend murmurer : « Peut-être qu'on ne parle pas assez aux enfants... »

Elle va dans sa chambre. Elle ouvre un tiroir. Elle revient. Elle montre à Antoine une vieille, une très vieille photo.

— C’est ton grand-père.

— Mon grand-père de l’Aveyron ?

La maman baisse la voix :

— Non... l’autre... le... le... mon papa... À voix plus basse encore, elle murmure :

— *Tu abuelo creía en la Libertad... y por eso murió...* [1].

Antoine lève la tête. Il n’a rien compris :

— Qu’est-ce que tu dis ?

La maman regarde son fils au fond des yeux :

— Plus tard, je t’expliquerai.

— Avec vous, c’est toujours « plus tard » ! dit Antoine sur un ton de reproche.

Avec un gros soupir, il ajoute :

— En attendant... le temps passe !

Le soir, dans son lit, Antoine se demande si, comme les bisons et les pandas, comme les panthères et toutes les espèces menacées de disparition, les grands-pères ne seraient pas nécessaires à l’équilibre biologique du monde !

1. « Ton grand-père croyait en la liberté... C’est pour ça qu’il est mort... »

Pendant quelques jours, Antoine ne revit plus M. Robert. Ne lui parla plus, plutôt. Car, en sortant de l'école, il l'apercevait, là-haut, au deuxième étage de la Résidence. M. Robert avait un regard triste.

Antoine avait le cœur gros. Comme pour le narguer — lui qui avait lancé l'affaire ! — Marco avait adopté l'Oncle Tom, Brigitte disait partout : « Madame Marie... c'est ma grand-mère... je l'aime bien » et M. Magicman révélait à Zague les plus grands secrets de la prestidigitation...

« Les chagrins s'oublient dans le travail », pensa Antoine sagement.

Le grand Zague avait une voiture à laver. Antoine le rejoignit. Ils s'installèrent chacun d'un côté de l'auto avec cuvette, éponge et une bouteille de produit qui, bien agité, fabriquait, dans l'eau, une mousse miracle.

Le grand Zague frottait depuis vingt longues minutes quand satisfait des portières dans lesquelles maintenant il regardait son visage, fier des chromes étincelant au soleil, il décida de voir où en était Antoine.

Il passa de l'autre côté de l'auto, découvrit les pneus boueux, la carrosserie poussiéreuse, les enjoliveurs opaques. N'en croyant pas ses yeux, cherchant avec honnêteté à droite et à gauche, sous la voiture et sur le capot, Zague demanda d'une voix timide :

— Où… Où c'est que tu as lavé ?

Immobile, muet, Antoine était assis près de l'auto. Il semblait ne rien voir, ne rien entendre.

Vaguement indigné, encore incrédule, Zague laissa tomber :

— T'as rien foutu ?

Alors, sans plus s'expliquer, Antoine se leva d'un bond et partit en courant…

Il courait… Il courait… Il courait…

Des tambours — ou des canons — roulaient dans ses oreilles. Son cœur tapait, accompagnait le rythme de sa course et de ses pensées. Des voix se battaient en lui : « Va voir Monsieur Robert… il t'attend… Il ne sera peut-être pas là… Papa m'a défendu… Je ne dois pas désobéir… Je suis libre… Grand-père est malheureux… Je dois aller le voir… Fuseline arracha sa patte pour retrouver sa liberté… Il y avait beaucoup de jeunes dans les maquis… Guerriot est mort, sa noisette entre les dents, à cause de son imprudence... Je dois y aller... j'y vais... J'y suis... c'est là !... »

Il aperçut à la fenêtre du deuxième étage le béret de M. Robert, il ne fit pas de signe, il continua à courir, il poussa la porte du hall, se précipita dans l'escalier, les tambours et les canons roulaient de plus belle, son cœur gonflait, son corps était lourd, il lui sembla qu'il devenait plus petit, qu'il s'affaissait entre chacune de ses enjambées, ses jambes s'allongeaient, il montait trois marches à la fois, il arriva sur le palier, courut dans le couloir, une porte s'ouvrit, M. Robert était devant lui, Antoine entra sans un mot... Un silence étonnant, un spectacle imprévu le calmèrent d'un coup.

Les murs étaient couverts de photos : maquisards à barbe hirsute, à calots, à bérets, portant des blousons, des pulls, des écharpes interminables nouées autour des reins ; certaines photos avaient jauni, les coins se retournaient, quelques-unes portaient des signatures, des dates, le nom d'une localité, d'un groupe, d'un chef. On voyait, pendu en bonne place, un ancien brassard F.F.I. avec une croix de Lorraine bleue et les inscriptions d'un tampon circulaire qui disparaissaient avec le temps ; il y avait des coupures de journaux fixées avec des épingles, un casque peint maladroitement ; dans un cadre une citation ; des gravures, des dessins, deux médailles au bout de leur ruban ; sur la table, des livres, d'autres photos, d'autres journaux : un combat, la

F.F.I

Libération, ses fleurs, sa joie, des camions, des canons, des prisonniers allemands, une carte d'alimentation, un fanion : un musée... un vrai musée de la Résistance.

Antoine ne disait rien.

Le soir même, son père apprit sa visite à M. Robert.

CHAPITRE VIII

— Tu comprends, disait sa mère à Antoine, ce Monsieur Robert, nous ne le connaissons pas... nous ne savons pas qui c'est...

— C'est mon grand-père.

— Écoute...

— Zague non plus ne connaissait pas M. Magicman... Ses parents non plus ne le connaissaient pas...

— Bien sûr... mais... il faut bien que nous surveillions ce que tu fais... les gens que tu rencontres... Si ton père s'inquiète, c'est pour toi... D'abord, toi, tu aurais dû nous en parler... Les enfants ne doivent rien cacher...

Antoine baissa la tête. Il murmura :

— Je ne cachais rien. Si je t'avais vue, je t'aurais dit : « Maman, je te présente mon grand-père »... je ne t'ai pas vue, alors...

La mère ajouta :

— Lui aussi... lui aussi, aurait dû nous en parler... il aurait pu, peut-être...

Depuis plus d'une heure, le père était parti chez M. Robert. Il était sorti en claquant la porte. Il avait dit : « Nous allons voir ! Nous allons voir ! »

Le temps passait.

Le père s'emportait facilement.

La mère le savait. Antoine aussi.

La mère voulut se tranquilliser... tranquilliser Antoine :

— N'aie pas peur, va... Il ne lui fera pas de mal...

— Qui ?

— Papa... Il se met en colère comme ça... mais... il ne lui fera pas de mal...

Antoine eut un sourire :

— Risque pas !

— Quoi ?

— Tu crois que le Chef de la Résistance, il se laisse faire comme ça ? ! ! demanda Antoine avec une superbe assurance.

La porte s'ouvrit.

Les deux regards se posèrent sur le père. Une gêne s'empara de lui. Il observa ses chaussures, il tapota le bord de son veston, il revint à sa femme et à son fils, elle pensa qu'un malheur était arrivé, il le comprit, il vit l'inquiétude sur son visage, nul ne disait mot... Les deux regards l'interrogeaient toujours...

Alors, il se lança dans ce qu'il croyait être une explication :

— J'ai... eu... sieur... Bert... scussion... vu... lé... arlé... bien... ça... dra... ner... manche !

La mère était abasourdie.

— Qu'est-ce que tu racontes ? Tu parles pour toi maintenant ? ! On ne comprend rien à ce que tu dis !

Le père, que cette incompréhension agaçait, explosa. Détachant chaque syllabe, il cria :

— Je te dis que j'ai vu Monsieur ROBERT. Je lui ai parlé. Nous avons eu une bonne discussion. Je lui ai parlé. Tu comprends ça : par-lé ! c'est clair, non ? !... J'ai par-lé-à-Monsieur-Robert...

Et, soudain, plus bas, il ajouta :

— Alors... c'est entendu... IL VIENDRA DÉJEUNER DIMANCHE !

Ahurie, la mère demanda :

— Pourquoi ?

— Hé !... PARCE QUE C'EST LE GRAND-PÈRE D'ANTOINE PARDI ! répondit le père qui ne comprenait pas ce trouble devant une telle évidence ! J'AI QUAND MÊME LE DROIT D'INVITER LE GRAND-PÈRE DE MON FILS ! NON ?

La mère voulut encore poser une question.

Elle n'en eut pas le temps. Antoine s'était précipité dans les bras de son père... Tous les deux maintenant parlaient de M. Robert : ils n'entendaient plus rien.

Ce fut un bon repas et ce fut un bon dimanche.

La maman d'Antoine avait préparé une paëlla — avec du poulet et des crevettes. Comme dessert, elle apporta, avec une crème, des gâteaux longs qu'elle avait préparés elle-même.

— Oh ! Des *mantecados* ! fait Antoine en battant des mains.

Sa maman explique :

— On faisait ça, chez moi... On met de la cannelle... Ce n'est pas difficile à faire... Mais c'est très bon.

Elle était heureuse. Au début du repas, M. Robert lui disait « Madame... » Maintenant, il l'appelait Vincente. Son nom lui paraissait très doux.

Le père d'Antoine, lui, ne lâchait pas M. Robert.

Pendant tout le repas, il était revenu au même sujet :

— Ce jour-là, au maquis, ils avaient eu de la chance... Si mon père n'avait pas été dans son champ, personne ne les aurait prévenus...

— Dis papa, pourquoi on ne le voit

pas, mon grand-père de l'Aveyron ? demande Antoine.

La maman fait repasser le plat de crème. On proteste. On insiste. On accepte. On se sert. « Juste un peu parce qu'elle est très bonne. »

— Il était arrivé du champ en courant, reprend le père... Et puis, il avait dit à ma mère : « Voilà les Allemands ! »... et, avant qu'elle ait compris, il avait filé dans le bois.

Antoine ouvre de grands yeux :

— Mon grand-père de l'Aveyron, c'était un résistant ?

— Pas vraiment... Il était à la ferme... le maquis n'était pas loin... il l'aidait un peu...

— Mais si ! Mais si ! affirme M. Robert. C'était un résistant. C'est tout cela la Résistance... les uns et les autres.

— Mais alors... pourquoi qu'on est fâchés avec mon grand-père de l'Aveyron ?

Le père d'Antoine secoue la tête :

— On est fâchés pour une botte de foin ! Oui monsieur ! Pas deux ! Une ! Pour une botte de foin, on est fâchés depuis... depuis la naissance du petit...

C'était pendant les vacances... le gosse avait six mois... Mon père ne le connaissait pas. Alors, on était allé lui montrer... Contents... Le soir, voilà un orage qui menace... Il avait son foin sur le champ. Vite, on l'aide, on rassemble les bottes... ici... là... on met les bâches pour les protéger... Le lendemain, il s'aperçoit qu'une botte était restée sous la pluie... Il a piqué une colère !... Il nous a dit de tout !... Alors, nous sommes fâchés !

Le père s'interrompt. Il soupire.

Il conclut :

— Il faut dire que mon père... il a un caractère !...

On entend la voix douce de M. Robert :

— Comme moi.

On se récrie. Monsieur Robert n'a pas mauvais caractère. Au contraire !... Il est conciliant... Il est...

Toujours aussi douce, la voix de M. Robert poursuit :

— C'est mon fils qui m'a dit ça... un jour... ma belle-fille aussi... avant leur départ... il y a dix ans... dix ans...

M. Robert s'est tu. Le père d'Antoine

aussi. Ils se regardent. Ils pensent. Ils revoient.

La maman d'Antoine intervient :

— Allons !... Maintenant, dépêchons-nous...

Elle se tourne vers M. Robert :

— La prochaine fois, vous resterez plus longtemps... Aujourd'hui il est l'heure... Nous allons être en retard...

Et, souriante :

— Venez, grand-père.

M. Robert lui prend le bras :

— Je viens, Vincente.

CHAPITRE IX

Ils sont sortis de chaque porte. Ils ont couru devant eux ou ils ont attendu un camarade. Ils ont hélé un copain qui ne les voyait pas, qui allait, lui aussi, avec un air pressé. Ils se sont rejoints près du terrain de football ou devant la boulangerie. Leurs parents parfois étaient avec eux mais ils les ont laissés ; les parents viendront seuls, un peu plus tard... Eux, ce qu'ils font, ils le font eux-mêmes, ils le font ensemble, ils arrivent de la rue d'Alembert et de la rue de la Liberté, de la rue Jean-Jacques-Rousseau et de la rue du Pasteur-Martin-Luther-King, de la rue Abraham-Lincoln et de la rue de l'Abbé-Grégoire... La jeune cité est agitée. La joie est fébrile, impatiente et grave à la fois. Garçons et filles ont mêmes phrases et mêmes pensées :

— Tu as le tien ?
— Fais voir !
— Ça sent bon !
— Fais gaffe, tu vas l'abîmer !
— Montre !
— Qui n'en a pas ? J'en ai deux !
— Voilà Zague avec le sien !

Groupés maintenant, ils arrivent à la Résidence. Ils s'arrêtent. Certains se peignent. D'autres tirent leurs chaussettes. D'autres les gardent en accordéon. Ils repartent. Ils ne parlent plus. Ils avancent. Presque solennels.

Ils ont ouvert la porte d'un coup et d'un coup, des bras se sont tendus vers eux.

Les vieilles mains dans les jeunes mains prennent le brin de muguet, les yeux prennent le brin de bonheur, une larme brille, les rides sourient, on se penche, des joues s'empourprent, M. Magicman fait naître des fleurs au bout de son ombrelle...

La mère de Zague, on pourrait l'appeler « la grande Zague ». Elle est immense. Elle dit :

— Vous savez, grand-père, si vous voulez que je vous fasse vos commissions de temps en temps, vous n'avez qu'à me le dire, faut pas vous gêner...

Brigitte s'approche de Mme Marie :

— Grand-mère, tu me feras un clafoutis ?

La maman d'Antoine aperçoit un monsieur noir à cheveux blancs. Il vient à elle. Il se présente :

— *Mon nom est Tom mais les petits enfants avaient l'habitude de m'appeler l'Oncle Tom, là-bas dans le Kentucky.*

Le grand-père de Pascal promet :

— Je viendrai vous voir... parfois... l'après-midi... on parlera.

Et toutes les phrases se mêlent :

— Il fait des tours incroyables.

— Sur nos oreilles, il trouve des cigarettes !

— On l'appelle M. Magicman !

— Je vous avais bien dit qu'il connaissait des trucs !

— Même qu'on est magicien, on peut quand même s'appeler Cochise ?

Antoine n'entend plus rien.

Une seule phrase compte pour lui.

Celle que son père vient de prononcer à voix basse. En lui prenant la main :

— Antoine... cet été... nous irons voir ton grand-père... dans l'Aveyron.

Antoine pense :

« Peut-être on emmènera Monsieur Robert… J'aurai deux grands-pères. Ce sera bien. »

kid POCKET

LES GRANDES HISTOIRES DE LA VIE

Tu as aimé ce livre.
En voici d'autres dans la même collection :

Les princesses ne portent pas de jeans
Brenda Bellingham

Avec sa drôle d'allure et son imagination délirante, Léa se moque de passer pour une folle et une menteuse auprès des enfants de sa classe. Le plus troublé c'est Jeff qui, lui, trouve Léa plutôt à son goût. Amie ou ennemie, son cœur balance...

Dix contes de loups
Jean-François Bladé

Savez-vous que les guêpes et les limaçons sont plus malins que les loups ? Que le renard est plus rusé ? Que l'oie, la poulette et le chat sont plus futés ? Voici dix contes du pays gascon qui vont mettre en déroute tout ce que vous pensiez savoir sur les loups.

Romarine
Italo Calvino

Romarine, Poirette, Pomme et Peau... autant de curieux personnages et de drôles d'histoires menées tambour battant par le grand écrivain Italo Calvino. Huit contes du folklore italien à savourer pour le plaisir de s'en laisser conter...

Grand-père est un fameux berger
Georges Coulonges

Pour Antoine, enfant de la ville qui n'a jamais vu une vache de près, les vacances chez son grand-père dans l'Aveyron sont une aventure. Mais, surtout, il est fasciné par ce vieil homme qui sait tout faire et parle patois. Bientôt, c'est le grand amour entre eux deux.

La grand-mère aux oiseaux
Georges Coulonges

Brigitte s'est cassé la jambe. Elle est en convalescence chez sa grand-mère, à la campagne. La vieille dame, bourrue, parlant fort, vit seule dans sa ferme avec Pilou, le chat. Seule, pas tout à fait. Devant sa maison se trouve un arbre où les oiseaux se donnent rendez-vous.

L'homme au doigt coupé
Sarah Garland

Qu'est-il arrivé à l'homme au doigt coupé, le sinistre voisin de Clive ? Pourquoi a-t-il disparu ? Et que signifie l'envoi à l'école d'un mystérieux squelette à qui il manque un doigt ?

Touche pas à mon dragon
Jackie French Koller

Alex, neuf ans, ne rêve que de chasser et de tuer les dragons, ennemis de son peuple. Mais lorsqu'il se retrouve nez à nez avec un dragon orphelin, il est incapable de toucher à une seule écaille de l'innocente petite créature...

Les bonbons sont faits pour être mangés
Guus Kuijer

Ils sont trois : deux filles et un garçon. Ils jouent au « caoboy » et aux devinettes. Ils se taquinent, se fâchent, se réconcilient. En un mot, ils sont inséparables. Jusqu'au jour où l'un d'eux annonce une nouvelle qui change tout pour le trio.

La maison au fond du jardin
Guus Kuijer

Ce que Madelief aime dans la vie, c'est rigoler. Ce n'est pas toujours facile, surtout quand sa Grand-Mère meurt. Mais pourquoi sa mère ne pleure-t-elle pas ? Madelief perce ce mystère dans la petite maison du jardin de ses grands-parents.

Un papa pas possible
Pierre Louki

Mon père est horloger. Il a tout pour être heureux. Eh bien, non, c'est du théâtre qu'il veut faire ! Alors, au lieu de réparer ses montres, il fait des grimaces devant la glace. Pour les clients qui entrent dans le magasin, ça ne fait pas sérieux...

Le petit cheval
Pierre Louki

Les enfants du village se sont attachés à Pompom, le petit cheval abandonné par un cirque ambulant. Pour empêcher qu'il ne soit vendu, et peut-être tué, ils décident de l'enlever et de le cacher. Mais comment le faire sortir du pré ? Où l'emmener ? Les petits voleurs ont bien des soucis !

On a piégé le mammouth
Jackie Niebisch

Quatre enfants des cavernes décident de chasser un mammouth, plutôt que de cueillir des baies et des noisettes. Le plus petit d'entre eux dit qu'il suffit de tendre un piège : on creuse un trou, le mammouth tombe dedans et on l'achève avec la lance. C'est tout.

Gare aux éléphants !
Ulf Nilsson

Max doit remplacer ses parents pour tenir leur boutique d'animaux. À une journaliste, il raconte qu'il accepte de garder en pension tous les animaux, quels qu'ils soient. Celle-ci le prend au mot et fait passer le message dans son journal.

Timothée tête en l'air
Margaret Ryan

Timothée est sélectionné pour un concours inter-écoles. Mais il est inquiet. Il sait qu'il est tête en l'air. Que se passera-t-il si, au moment crucial, il oublie pourquoi les bouchons flottent ou ce qu'est un astéroïde ? Il s'en fait d'autant plus que ses adversaires sont les champions de l'esbroufe.

La poupée russe
Joan Smith

Tante Lotty a emmené Miranda à Moscou. À première vue, la ville est froide, les poupées russes sont moches et Tante Lotty n'arrête pas de râler. Le seul réconfort de Miranda, c'est le sourire d'une petite fille à la natte aperçue dans la queue d'un grand magasin. Si seulement elle pouvait s'en faire une amie !

Une copine pour Papa
Ulf Stark

Jules vit avec son papa. Papa travaille la nuit et Jules est souvent tout seul. Papa est distrait, ne sait pas s'occuper de la maison et Jules doit se débrouiller... Jean-Baptiste, le meilleur ami de Jules, pense que le papa de Jules devrait avoir une femme. Facile à dire...

Polly la futée et cet imbécile de loup
Catherine Storr

Pour attraper Polly et la manger, il ne néglige rien, ce loup, ni la magie ni les vieux trucs des contes de fées. Mais le duel est inégal : Polly est loin d'être une idiote car elle a beaucoup lu, elle aussi, et le loup, lui, n'est pas très futé.

Encore Polly, encore le loup !
Catherine Storr

« C'est ça qui cloche, bien sûr ! s'exclama le loup en se frappant le front. Je suis devenu un imbé... euh, je ne suis pas aussi futé que d'habitude. » Futée, Polly l'est toujours. Et maintenant, c'est elle qui menace de manger ce pauvre loup !

Un problème à quatre pattes
Marinella Terzi

C'est plus fort que lui, Marcos a peur des chiens. Du coup, il se prive d'aller jouer chez son amie Carlota, à cause de Catilina, son grand setter irlandais. Un jour, pourtant, il aide son ami Jean à nourrir en cachette un petit chiot abandonné.

kid POCKET

LES GRANDES HISTOIRES DE LA VIE

Photocomposition :
TÉLÉ-COMPO - 61290 BIZOU

Achevé d'imprimer
par Maury-Eurolivres S.A.
45300 Manchecourt

Dépôt légal : janvier 1996.

POCKET - 12, avenue d'Italie - 75627 PARIS Cedex 13